LES JARDINS
DU BOIS DES MOUTIERS

LES JARDINS DU BOIS DES MOUTIERS

Photographies / photography by
Eric Sander

Texte / text by
Antoine Bouchayer-Mallet
et Robert Mallet

INTRODUCTION

« À regarder en arrière, ce voyage me semble déjà bientôt une vie, depuis le premier jour où, jeune mariée, je vins seule à Varengeville faire la connaissance de mes beaux-parents, jour inoubliable quand, entrouvrant le discret portail du Bois des Moutiers, je découvris un spectacle d'une telle beauté que je me pris à remercier le ciel de ne pas l'avoir connu auparavant de peur d'avoir voulu me marier pour y vivre ! »

Ces mots émouvants de Mary Mallet, notre grand-mère, traduisent le choc de beauté et d'harmonie que partagent des milliers de visiteurs chaque année depuis plus de quarante ans en se promenant dans les jardins, le parc et la maison du Bois des Moutiers.

Certains lieux inspirés ne naissent-ils pas de miraculeuses rencontres ? Ces lieux semblent alors précipiter les aspirations d'un moment temporel précis au point d'acquérir la force d'un manifeste dont, souvent, la vitalité poétique et le message philosophique résistent au passage du temps. C'est précisément le cas du Bois des Moutiers qui constitue un exemple, unique sur le sol français, du mouvement initié par John Ruskin et William Morris en Angleterre, le mouvement « Arts & Crafts », tout à la fois porteur de valeurs morales, idéalistes et esthétiques.

En harmonie avec cette forme de pensée, mon arrière-grand-père, Guillaume Mallet, et mon arrière-grand-mère, Adélaïde Grunelius, font appel en 1898 à l'architecte anglais de 29 ans, Sir Edwin Lutyens, future figure phare

"Looking back, it seems the course of my life was already set, from that first day when, as a young bride, I came alone to Varengeville to meet my parents-in-law. That unforgettable day, when, on half-opening the discreet gate to Bois des Moutiers, I beheld a spectacle of such beauty that I thanked heaven that I had not known about it before, for fear that I should have wanted to get married just to be able to live there!"

These touching words of Mary Mallet, our grandmother, reflect the impact of the beauty and harmony found here, an impact that, over the last forty years and more, thousands of visitors have shared while strolling through the gardens, park and house at Bois des Moutiers.

Certain special places can bring about miraculous meetings, can't they? On such occasions these places seem to crystallise the aspirations of a precise moment in time, so much so that they take on the force of a manifesto, whose poetic vitality and philosophical message can often stand the test of time.
This is precisely what happened at Bois des Moutiers, which is an example (unique on French soil) of the movement started by John Ruskin and William Morris in England, the "Arts and Crafts Movement", a synthesis of moral, idealistic and aesthetic values.

In keeping with this thinking, my great-grandfather, Guillaume Mallet, and my great-grandmother, Adélaïde Grunelius, invited, in 1898, a 29-year-old English architect, Edwin Lutyens (later Sir Edwin Lutyens, a key figure in this architectural movement), to build them a family home

de ce mouvement architectural, pour construire une maison de famille au rayonnement international. Il est accompagné dans la création de cette œuvre de la célèbre jardinière-paysagiste Gertrude Jekyll.

C'est dans le village de Varengeville-sur-mer, près de Dieppe, portés par la providence, qu'ils décident de l'implanter. Ancrée en équilibre aux bords des falaises blanches de la côte d'Albâtre, cette terre aux paysages d'une extrême beauté est un enchantement pour toute âme sensible. Célébré pour sa lumière, ses courbes et son atmosphère enivrante, ce lieu exceptionnel compta parmi ses visiteurs réguliers un aréopage d'hommes et de femmes remarquables qui laisseront leur chef-d'œuvre en héritage aux générations à venir : Turner, Monet, Blanche, Braque, Miró, Picasso, Léger, Debussy, Ravel, Satie, Roussel, Prévert, Proust, Breton, Cocteau, Gide et Virginia Woolf parmi tant d'autres !

Cette maison opère une forme de magie en marquant le visiteur d'une empreinte indélébile. Grâce à de fines recherches sur la lumière et des rapports architecturaux très subtils, des fenêtres s'ouvrant sur le vaste panorama du parc et de la mer, des jardins clos prolongeant à l'extérieur l'intimité de la maison, grâce à l'équilibre entre des espaces fluides et d'autres plus cloisonnés, au raffinement dans la simplicité. La vie dans ce lieu aux dimensions humaines s'organise alors autour de l'étude, de réunions philosophiques ou botaniques, de la

of international importance. He was joined in the creation of this work by the famous garden designer Gertrude Jekyll.

Providence had brought them to the village of Varengeville-sur-mer, close to Dieppe, and it was here that they decided to build the house. Nestling snugly beside the white cliffs of the Alabaster Coast, this part of the country, with its extremely beautiful landscapes, is a delight for all sensitive souls. Famous for its light, its gently undulating scenery and its intoxicating air, this exceptional place numbers among its visitors an impressive array of notable men and women who have left their masterpieces as a legacy for future generations: painters such as Turner, Monet, Jacques-Émile Blanche, Braque, Miró, Picasso, Léger; composers such as Debussy, Ravel, Satie, and Albert Roussel; poets and writers including Jacques Prévert, Proust, André Breton, Cocteau, André Gide and Virginia Woolf – among so many others.

This house works a kind of magic, leaving an indelible impression on the visitor, thanks to the carefully considered use of daylight and its very subtle architectural relationships. The windows opening onto the wide panorama of the park and the sea, the walled gardens that extend the privacy and intimacy of the home outdoors, the balance between flowing, open spaces and other, more enclosed ones create sophistication in simplicity. In this place, designed on a human scale, daily life was, in those days, organised around study, meetings – philosophical or botanical – music or the arts in general, in a friendly, family atmosphere,

Vue des « borders » entre les murs à l'époque de Guillaume et Adelaïde Mallet. Les 4 cyprès italiens au fond n'avaient pas encore atteint leur taille adulte.

Seen from the borders between the walls at the time of Guillaume and Adelaïde Mallet. The four Italian cypresses in the background had not reached their full adult height.

Guillaume Mallet et son fils André en 1898.

Guillaume Mallet and his son André in 1898.

musique ou des arts en général, dans une ambiance amicale et familiale, très à l'écart d'une vie mondaine.

Le parc, descendant vers la mer dans un vallon argileux, est un terreau supplémentaire de l'imaginaire et de l'intuition de Guillaume et d'Adélaïde. Exemple fondateur de ce nouvel art des jardins né dans le Surrey en Angleterre à la fin du XIXᵉ siècle. Conçu comme un tableau vivant aux effets de broderies et de tapisseries, les influences de Turner, des préraphaélites Dante Gabriel Rossetti, Edward Burne-Jones, d'Arthur Rackham, et de Aubrey Beardsley sont partout présentes. Le but de ces artistes n'était-il pas de s'adresser à toutes les facultés de l'homme au travers de son esprit, de son intelligence, de sa mémoire, de sa conscience, de son cœur et non pas seulement à ce qu'il voit ?

far removed from the life of high society.

The park, which leads down towards the sea through a clayey valley, was an extra source of inspiration for the imagination and vision of Guillaume and Adélaïde. It is an early example of the new art of gardening born in Surrey, England, at the end of the 19th century. It was conceived as a living picture in the style of a tapestry or an embroidery, and the influences of Turner, of the Pre-Raphaelite painters Dante Gabriel Rossetti and Sir Edward Burne-Jones, of Arthur Rackham and Aubrey Beardsley, are ever-present. For did not these artists aim to appeal to all of mankind's faculties – through the mind, the intelligence, the memory, the consciousness and the heart, not merely through what they see?

Les compositions naturelles soignent les effets de masses, de contrastes ; le choix des teintes, des pigments parfois aux tons pastel est en parfaite harmonie avec la mer toute proche et ses couleurs laiteuses. Tout est dialogue, poésie, rencontres extraordinaires, la lumière sans cesse changeante est utilisée comme liant, insufflant la vie par petites touches ou grands effets.

À la seule évocation de certaines essences du parc, de merveilleux voyages autour du monde sont proposés : les cèdres de l'Atlas, les rhododendrons de l'Himalaya, les azalées de Chine et de Turquie, les eucryphias du Chili, les érables du Japon.

L'importance historique et tangible laissée par cette architecture et ces jardins est indéniable. Pourtant, qui saurait expliquer cette émotion profonde ressentie par tant de visiteurs ? La présence d'une grande harmonie, dans une composition naturelle ou humaine, n'a-t-elle pas la faculté extraordinaire de faire résonner le meilleur en nous ?

Alliant l'âme, l'esprit et la forme, le Bois des Moutiers a été créé comme un tout cohérent. Les notions d'appartenance religieuse, ethnique, sociale, sont ici transcendées. Au travers des choix subtils des couleurs, des textures et des formes émerge une partition architecturale et paysagère d'une sensibilité inouïe. La présence de la « divine proportion », de la géométrie sacrée, des chiffres 2, 3, 7... utilisés comme une trame, un canevas, ne laisse que peu de place au hasard... « Le combat d'amour » du *Songe de Poliphile* de Francesco Colonna,

The naturalistic plantings carefully consider the effects of masses and of contrasts; the choice of colours, often pastel tints, is in perfect harmony with the nearby sea and its milky colouring. Everything is a dialogue, it is poetry, extraordinary encounters; the constantly changing light binds it all together, bringing it to life with small brush strokes or broad effects.

At the mere mention of some of the species in the park, wonderful voyages around the world spring to mind: cedars from the Atlas Mountains, rhododendrons from the Himalayas, azaleas from China and Turkey, eucryphias from Chile, Japanese maples.

The historical significance of this architecture and these gardens is tangible and undeniable. Who, though, can explain the deep emotion that so many visitors feel? Can the presence of a great harmoniousness in a composition, whether natural or man-made, have an extraordinary power to resonate within us, to bring out the best in us?

Combining soul, spirit and form, the Bois des Moutiers was created as a coherent whole. Any ideas of religious, ethnic or social groupings are transcended here. Through the subtle use of colour, texture and shape emerges a composition of architecture and landscape of an unprecedented sensitivity. The use of the "divine proportion" of sacred geometry, the numbers 2, 3, 7... used as a frame, or a canvas, leave little to chance... The "battle of love" in *Hypnerotomachia Poliphili* (*The Strife of Love in a Dream*)

PLAN DU PARC
PLAN OF THE PARK

La partie haute montre la maison principale et les jardins structurés autour. La partie basse révèle la diversité des cheminements et des vallons dans le parc qui descend vers la mer.

The upper part shows the main house and the formal gardens around it. The lower part reveals the diverse range of paths and small valleys in the park that slopes down towards the sea.

LES JARDINS DESSINÉS
THE FORMAL GARDENS

1 Le Jardin blanc / White garden
2 Le Jardin entre les murs / Walled garden
3 La Pergola, le Jardin du croquet / Pergola, croquet garden
4 Le Jardin du cadran solaire / Sundial garden
5 Le verger de Magnolias / Magnolia orchard
6 La Roseraie / Rose garden
7 Le Chemin du potager / Potager
8 La Terrasse sur la mer / The sea-view terrace
9 La Porte du parc / Gate to the park

LE PATIS
THE PASTURE

10 La clairière du pin d'Autriche / The Austrian pine clearing
11 Le chemin tournant du Patis / Winding path in the pasture
12 La clairière des Camélias / The camellia clearing
13 La clairière des Eucryphias / The eucryphia clearing
14 Le carrefour du Patis / The pasture crossroads
15 L'allée des *R. griffithianum* / The *R. griffithianum* walk

LE GRAND PARC
THE GREAT PARK

16 Les descentes sur le Vallon / Slopes down into the valley
17 La mer de Rhododendrons / Sea of rhododendrons
18 Le chemin d'Ariane / Ariadne's path
19 La vallée des Iris / Iris valley
20 Darjeeling / Darjeeling
21 Le vallon de Gand / Ghent dell
22 La clairière des Cryptomérias / Cryptomeria clearing
23 La Vue sur la mer / Sea-view
24 La butte du Yulan / Yulan mound
25 La Jungle / The jungle
26 L'allée des Camélias japonais / Japanese camellia walk
27 Le vallon de la Source / Valley of the Spring
28 Le ruisseau des Astilbes / Astilbe stream
29 Le chemin des Azalées mollis / Mollis azalea path

est une des sources d'inspiration supplémentaires pour la mise en scène des jardins et du parc en forme de parcours initiatique, avec pour point d'orgue la grande perspective parallèle à la maison sur sept niveaux, symbolisant notre cheminement d'évolution spirituelle.

Un jardin initiatique donc, mais dans quel but ? Le Bois des Moutiers ne serait-il pas aussi un instrument au service d'une cause qui nous dépasserait tous ? La réponse se trouve certainement dans l'objet que s'était fixé la Société Théosophique, dont mes arrières grands-parents étaient membres : former un noyau de la fraternité universelle, encourager l'étude comparée et transversale des sciences, des religions, des philosophies ou des arts, enfin s'apprêter à accueillir de nouvelles découvertes qui aideraient l'homme à accepter des facultés latentes utiles à son épanouissement. L'écrivain britannique John Ruskin décrit en ces termes cet art d'habiter qui implique une « totalité d'être au monde » : « Je pense que si les hommes vivaient vraiment en hommes, leurs demeures seraient des temples à l'intérieur desquels nous oserions à peine entrer et où nous deviendrions des saints par le seul fait d'avoir la permission d'y vivre ».

Ces principes semblaient alors relever de l'utopie, mais le temps a montré que certains d'entre eux étaient partiellement réalisés, parce que des êtres à l'esprit puissant avaient eu l'audace de favoriser leur émergence et d'autres l'audace de les porter.

by Francesco Colonna is an additional source of inspiration for the layout of the gardens and park, in the form of a journey of initiation, leading up to the great perspective running parallel to the house, a path that climbs seven levels, symbolising the progression of our spiritual growth.

A garden of initiation, therefore, but to what end? Could the Bois des Moutiers also be a tool, an instrument to serve a cause that would lie beyond us all? The answer is surely to be found in the objectives of the Theosophical Society, to which my great-grandparents belonged: to form a nucleus of universal brotherhood, to encourage comparative, cross-disciplinary studies of sciences, religions, philosophies or arts, in preparation for finally embracing the latent powers that could enable the spiritual development of mankind. The British writer John Ruskin described this art of living, which implies a "completeness of worldly existence", in these terms: "If men lived like men indeed, their houses would be temples – temples which we should hardly dare to injure, and in which it would make us holy to be permitted to live".

These principles seemed Utopian then, but time has shown that some of them were achieved, at least in part, because certain strong-willed people were brave enough to promote them and others dared to adopt them.

Le Bois des Moutiers est aujourd'hui en pleine maturité, l'esprit conservé, l'âme intacte. Sans l'abnégation de mes grands-parents, Mary et André Mallet, mes parents Claire et Marc Anthony Bouchayer, ainsi que de mon oncle Robert Mallet et de ma tante Constance Kargère, rien ne serait plus. Mary Mallet aimait dire que « c'est le jardin même qui nous inspire, il n'est jamais statique, il vit, meurt et se transforme sous nos yeux. Il ne nous appartient pas, c'est plutôt nous qui lui appartenons ».

The Bois des Moutiers is, today, fully mature, its spirit preserved, its soul intact. Without the sacrifices of my grandparents, Mary and André Mallet, my parents Claire and Marc Anthony Bouchayer, as well as my uncle Robert Mallet and my aunt Constance Kargère, nothing would remain. Mary Mallet liked to say that "it is the garden itself that inspires us, it is never static, it lives, dies and is transformed before our eyes. It is not ours; rather we belong to it."

ANTOINE BOUCHAYER-MALLET

→ LES JARDINS DESSINÉS

Les jardins devant la maison ont été créés
en collaboration avec la célèbre paysagiste anglaise
Gertrude Jekyll, dans une volonté de conversation
avec les espaces intérieurs de la maison. Organisés en
chambres de verdures, ils communiquent entre eux
par un grand axe est-ouest, menant sur sept niveaux à
une petite fabrique appelée par la famille « la maison
de thé ». Intimement protégés des vents, ces jardins
abritent le premier « mixed-border » de France.

THE FORMAL GARDENS

The gardens in front of the house were created
in collaboration with famous English garden designer
Gertrude Jekyll. Wishing them to relate to the interior
spaces of the house, they are laid out as "rooms" of
greenery, linked together by a long vista running east-
west, rising up seven levels to a small building known
by the family as the "tea house". Cosily protected
from the winds, these gardens shelter France's
first mixed borders.

Le jardin dallé vu dans l'axe de la pergola. L'entrée sous
arche est marquée par un rayonnement de tuiles,
d'un symbole éloquent.

This part of the paved garden aligns with the pergola. The
entrance through an archway is marked by radiating tiles,
a powerful symbol.

DOUBLE-PAGE PRÉCÉDENTE
Le jardin du cadran solaire et la pergola. Une clématite
"montana" (*C. montana*) se mêle à une rose 'Wedding Day'.

PREVIOUS DOUBLE-PAGE SPREAD
The sundial garden and the pergola. A *Clematis montana*
mingles with a rambling rose, *Rosa* 'Wedding Day'.

Entrée nord du jardin dallé marqué d'un banc en bois connu
Outre-Manche sous le nom de « banc Lutyens » (*Lutyens bench*).

North entrance to the paved garden, marked by a wooden bench
of the kind known in Britain as a Lutyens bench.

DOUBLE-PAGE PRÉCÉDENTE
Le jardin dallé avec ses carrés de buis
et à gauche deux bancs semi-circulaires
en pierre, dalles et tuiles fines dessinées
par Edwin Lutyens.

PREVIOUS DOUBLE-PAGE SPREAD
The paved garden with its square,
box-edged beds and, on the left, two
semi-circular benches of stone, slabs and
thin tiles, designed by Edwin Lutyens.

Dans ce jardin, les différents tons de verts contrastent avec les plantes
à fleurs blanches : *Clematis spooneri* (*C. chrysocoma sericea*),
Viburnum plicatum f. *tomentosum* 'Nanum 'Semperflorens'
(ou 'Watanabe'), *Rhaphiolepis umbellata*.

In this garden, different shades of green contrast with white
flowers: *Clematis spooneri* (syn. *C. chrysocoma sericea*), *Viburnum
plicatum* f. *tomentosum* 'Nanum Semperflorens' (syn. 'Watanabe'),
Rhaphiolepis umbellata.

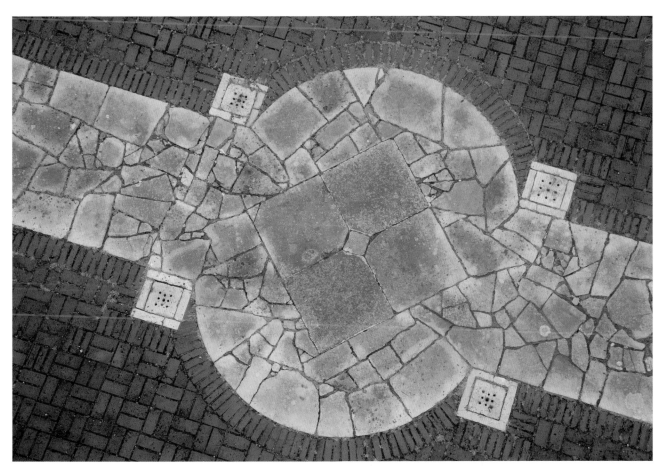

Le pavage du centre de la cour d'entrée principale a été dessiné par le jeune architecte, en alternant dalles brisées et dalles entières (symbole des premières cellules de vie organisée).

The paving in the centre of the main entrance courtyard was designed by the young architect, alternating crazy paving with whole slabs (symbolising the first cells of organic life).

DOUBLE-PAGE SUIVANTE
Vue plongeante sur les plates-bandes d'entrée, dont la floraison s'étend tout au long de la saison. Ici un genêt blanc et les premières roses *R. rugosa* 'Blanc Double de Coubert'.

FOLLOWING DOUBLE-PAGE SPREAD
Looking steeply down onto the flowerbeds at the entrance, which continue in flower all season. Seen here are a white broom and the first blooms of a rugosa rose, *R.* 'Blanc Double de Coubert'.

CI-CONTRE
Le perron et ses arches d'inspiration médiévales, d'une élégante stéréotomie, sont dominés par des fenêtres « oriel », dont Cocteau et Jacques Émile Blanche se demandaient en 1913 ce qu'elles pouvaient bien éclairer à l'intérieur.

OPPOSITE
The porch and its elegantly cut arches, medieval in inspiration, are overlooked by oriel windows, which made Cocteau and Jacques Emile Blanche wonder, in 1913, what those windows might be shedding light on within.

Vue de l'intérieur de la maison sur les mêmes plates-bandes.
On aperçoit (À DROITE) des hortensias 'Mme Émile Mouillère' cultivés
dans des pots italiens. Des *Macleaya cordata* servent de fond rose coloré.

The same flower borders, seen from inside the house (ABOVE). Later in
the year (RIGHT), *Macleaya cordata* makes a pink backdrop to *Hydrangea
macrophylla* 'Madame Émile Mouillère', grown in Italian pots.

La pergola à deux époques, avec les hortensias en pots (À DROITE).

The pergola at different seasons, with (RIGHT) hydrangeas in pots.

DOUBLE-PAGE SUIVANTE
Le chemin de brique bordé par des
hydrangéas *H. paniculata* ´Grandiflora´.

FOLLOWING DOUBLE-PAGE SPREAD
The brick path bordered by
Hydrangea paniculata ´Grandiflora´.

Lavandes et rose 'Ballerina' autour du cadran solaire.

Lavender and *Rosa* 'Ballerina' around the sundial.

L'ancien potager transformé en jardin de roses
autour d'un bassin central.

The former potager (kitchen garden) has been transformed
into a rose garden around a central pond.

Fleurissement varié en été :
hortensias, *Deutzia setchuenensis* 'Corymbiflora' (PAGE DE GAUCHE),
clématite 'Perle d'Azur', roses anglaises (PAGE DE DROITE).

A variety of summer flowers:
hydrangeas, *Deutzia setchuenensis* 'Corymbiflora' (LEFT-HAND PAGE),
Clematis 'Perle d'Azur' and English roses (RIGHT-HAND PAGE)

DOUBLE-PAGE SUIVANTE
Vue de la terrasse nord sur le parc et la mer au loin. Composé principalement d'essences à feuillage persistant, cette « tapisserie » à petits points en fines nuances de vert conserve son aspect verdoyant en hiver.

FOLLOWING DOUBLE-PAGE SPREAD
View from the north terrace across the park to the distant sea. Composed primarily of evergreen species, this needlepoint tapestry in shades of green remains verdant in winter.

→ LE PARC

Exemple fondateur de ce nouvel art des jardins né
en Angleterre à la fin du XIXe siècle, le parc
a été conçu comme un tableau vivant aux effets
de broderies et de tapisseries. Les influences des
peintres impressionnistes et préraphaélites y sont
partout présentes. Les compositions naturelles
soignent les effets de masses, de contrastes, et le
choix des teintes, aux tons souvent pastel, sont en
parfaite harmonie avec la mer toute proche et ses
couleurs laiteuses.

THE PARK

An early example of the new style of gardening
born in England at the end of the 19th century,
the park was conceived as a living picture in the style
of embroideries and tapestries. The influences of
impressionist and Pre-Raphaelite painters are ever-
present. These natural compositions are carefully
considered effects of masses and contrasts; the
choice of colours, often in pastel tints, is in perfect
harmony with the nearby sea and its milky colouring.

On aperçoit le parc des chambres de la
maison. *Rhododendron* 'Halopeanum'
au premier plan, *R.* 'Cynthia' au fond.

The park, seen from the bedrooms of the
house, with *Rhododendron* 'Halopeanum'
in the foreground, *R.* 'Cynthia' beyond.

Rhodos et bulbes se conjuguent sur fond de cèdres bleus
de l'Atlas, chênes verts, houx et pins sylvestres.

Rhododendrons and bulbs meet against a background of
blue Atlas cedars, green oaks, hollies and Scots pines.

Début mai, les azalées "mollis" se marient
harmonieusement avec un chêne doré, *Quercus rubra* 'Aurea',
contrastant avec des cèdres et des cryptomérias.

In early May, the Mollis azaleas (*Rhododendron* cultivars) blend
harmoniously with a golden oak, *Quercus rubra* 'Aurea',
contrasting with the cedars and cryptomerias.

DOUBLE-PAGE SUIVANTE
Un rond d'ifs, dont les troncs sont comme
les colonnes d'un temple, marque l'entrée
du parc quand on quitte les jardins
qui entourent la maison.
Certains l'appellent le « rond des fées ».

FOLLOWING DOUBLE-PAGE SPREAD
As one leaves the gardens surrounding
the house, a circle of yews, their trunks
like the columns of a temple, mark
the entrance to the park.
Some call this "the fairy circle".

Sous les bois de rhododendrons centenaires. Ces vieilles variétés avaient été sélectionnées par Guillaume Mallet dans la gamme des couleurs médiévales. Certaines acquisitions de l'époque (chez Croux, ou Moser) n'ont pu encore être identifiées.

Beneath the hundred-year-old rhododendron trees. These old cultivars, in a medieval colour range, were selected by Guillaume Mallet. Some of the acquisitions from that time (from Croux, or Moser) have still not been able to be identified.

Utilisant les atouts d'un relief riche et mouvementé, un chemin a été aménagé en surplomb de la grande étendue de rhododendrons 'Halopeanum' sur fond de cèdres bleus, c'est un émouvant spectacle en mai pour ceux qui s'engagent dans la découverte du parc.

Making the most of the rich and varied terrain, a path has been laid out overlooking the wide expanse of *Rhododendron* 'Halopeanum' against a background of blue cedars, an inspiring spectacle in May for any visitors who are exploring the park.

Rhododendron 'Halopeanum' sous les cèdres bleus.

Rhododendron 'Halopeanum' under blue cedars.

CI-CONTRE
Détail d'un arbre courbe
au tournant d'un bois.

OPPOSITE
Detail of a twisted tree
at a turning in the wood.

DOUBLE-PAGE SUIVANTE
Ce vallon humide porte le nom de Daar-
jeeling. Il est dominé par les rhododendrons 'Halopeanum'. Les plantes intro-
duites s'y sont naturalisées (rodgersias,
hydrangéas, astilbes, osmondes royales).

FOLLOWING DOUBLE-PAGE SPREAD
This damp little valley, dominated by
Rhododendron 'Halopeanum', is called
Darjeeling. Plants introduced here
have become naturalised (rodgersias,
hydrangeas, astilbes, royal ferns).

De quelque côté qu'on les aperçoit, les rhododendrons 'Halopeanum',
issus du croisement de *H. arboreum* x *R. griffithianum*, étonnent
par leur taille inhabituelle (plus de 8 m de haut par endroit).

Whichever angle one sees them from, the size of the *Rhododendron*
'Halopeanum', a cross between *R. arboreum* and *R. griffithianum*,
comes as a surprise; they are more than 8m tall in some places.

Descendant toujours plus avant vers la mer, des scènes colorées se découvrent entre les troncs de chênes, de pins et de cèdres plantés en bois serrés. De vieilles variétés de rhododendrons se succèdent en fines nuances de rouge, de rouge moucheté de blanc (*R.* 'Alarm'), parfois de blanc moucheté de pourpre foncé (*R.* 'Sappho').

As one descends ever closer towards the sea, colourful scenes are revealed between the trunks of the oaks, pines and cedars planted in dense woodlands. Old rhododendron cultivars follow on from each other in subtle shades of red, or red streaked with white (*R.* 'Alarm'), and sometimes white flecked with deep purple (*R.* 'Sappho').

DOUBLE-PAGE SUIVANTE
Fidèles aux prescriptions de William Robinson (contemporain de Gertrude Jekyll), qui, fuyant les jardins en mosaïques de l'ère victorienne, recommandait de « naturaliser les plantes exotiques », ces *Gunnera manicata* se sont plu dans ces fonds tourbeux. Ils sont associés ici aux iris japonais (*Iris ensata* ou *I. kaempferi*).

FOLLOWING DOUBLE-PAGE SPREAD
Faithful to the ideals of William Robinson (a contemporary of Gertrude Jekyll), who, spurning the mosaic flowerbeds of the Victorian era, advocated naturalising non-native plants, *Gunnera manicata* are revelling in the boggy conditions. Here they are associated with Japanese irises (*Iris ensata*, syn. *I. kaempferi*).

Fidèle au même principe de « naturalisation », une rivière
de fougères à plume d'autruche (*Matteuccia struthiopteris*)
suit le bord d'un ruisselet.

Also following the principle of "natural gardening",
a river of ostrich-plume ferns (*Matteuccia struthiopteris*)
follows the edge of a little stream.

CI-CONTRE
Des *Lysichiton americanus* (*skunk cabbage*)
se plaisent dans ce lieu humide, associés
à des *Caltha palustris* (boutons d'or
des marais) et des primevères.

OPPOSITE
Skunk cabbages, *Lysichiton americanus*,
do well in this damp spot, in combination
with *Caltha palustris* (marsh marigolds)
and primroses.

En remontant du fond du parc, on retrouve cet ensemble
d'azalées chinoises (azalée "mollis") qui, à flanc de coteaux, montrent
des nuances anciennes, loin des variétés criardes modernes.

Going back up from the bottom of the park, we find this group of
Chinese or Mollis azalea hybrids which, on this hillside, are in
antique shades, far removed from garish modern cultivars.

Ces mêmes azalées sont ici associées à des azalées pontiques parfumées (*Rhododendron luteum*) et des cytises.

The same azaleas are here associated with fragrant pontic azaleas (*Rhododendron luteum*) and brooms.

Rhododendron 'Halopeanum' sur fond de cèdre bleu de l'Atlas.

Rhododendron 'Halopeanum' set against a blue Atlas cedar.

Ce rhododendron 'Lady Eleanor Cathcart' à macule framboise
fait partie de la collection de rhodos à fleurs bicolores
(appelés Outre-Manche les *blotched rhododendrons*).

This *Rhododendron* 'Lady Eleanor Cathcart', marked with
raspberry red, is part of the collection of bicoloured
or "blotched" rhododendrons.

DOUBLE-PAGE SUIVANTE

Les troncs tordus de ces vieux
rhododendrons donnent parfois lieu
à des marcottes naturelles précieusement
conservées pour assurer la relève.

FOLLOWING DOUBLE-PAGE SPREAD

The twisted trunks of these old
rhododendrons sometimes layer
themselves. The naturally rooted
new plants are carefully kept
to ensure succession.

Picea breweriana et *Cryptomeria japonica* 'Viridis'.

Picea breweriana and *Cryptomeria japonica* 'Viridis'.

L'un des principes qui a présidé à la conception du parc fut la constitution de fonds végétaux à feuillage persistant comme coupe-vent, mais aussi pour effacer visuellement les limites du domaine et fournir un cadre esthétique. Les nuances de verts y sont très étudiées et ne doivent jamais se heurter entre elles.

One of the principles that governed the design of the park was the establishment of evergreen background plantings as windbreaks, but also to disguise the boundaries of the estate and provide an aesthetic frame. The shades of green are very carefully chosen and should never clash with each other.

Cèdre bleu de l'Atlas et *Cryptomeria japonica* 'Viridis'.

Blue Atlas cedar and *Cryptomeria japonica* 'Viridis'.

DOUBLE-PAGE SUIVANTE
On assiste, dans ce site dénommé
« la jungle », à un surprenant festival
de couleurs vertes, brillantes ou mates,
allant de la gamme vert jaune au premier plan
(bambous *Sasa palmata*) au vert bleu au fond, ce
qui crée un effet de perspective
et agrandit l'espace. L'érable pourpre japonais,
judicieusement placé, accentue la rupture
d'échelle avec le cèdre bleu.

FOLLOWING DOUBLE-PAGE SPREAD
In this area, "The Jungle", there is a surprising
display of different greens, shiny or matt,
ranging from the yellow-green of the foreground
bamboos, *Sasa palmata*, to blue-green in the
distance, creating an effect of perspective and
visually expanding the space. Judiciously placed,
the purple Japanese maple accentuates this
change of scale with the blue cedar.

Au début de l'été, le parc se colore de colonies de plantes
arbustives (hortensias) ou herbacées (astilbes).

At the beginning of summer the park is coloured by groups
of plants, including shrubs such as hydrangeas and
herbaceous plants such as herbaceous plants such as astilbes.

Un hortensia moderne, *H.* 'Blaumeise' à tête plate (ou *Teller Hortensien*), qui prend des proportions impressionnantes.

A modern flat-headed "lacecap" hydrangea of the Teller Series, *H.* 'Blaumeise', which reaches impressive proportions.

Grâce à la nature acide du sol, les hortensias prennent leur couleur bleue si apaisante.

Thanks to the acid soil, the hydrangeas can take on their soothing blue tints.

La vieille variété d'hortensia, *H*. 'Rosea', en fait la plus ancienne introduite en France en provenance du Japon (*via* la pépinière anglaise Veitch & Son). Présentée par Truffaut à l'Exposition Universelle de Paris en 1900, elle a été plantée en masse dans le parc en 1904.

ABOVE AND PREVIOUS DOUBLE-PAGE SPREAD
This old mop-headed hydrangea cultivar, *H*. 'Rosea', is in fact the first to have been introduced to France from Japan (via the English nursery of Veitch & Son). Shown by Truffaut at the Exposition Universelle in Paris in 1900, it was planted *en masse* in the park in 1904.

H. 'Renate Steiniger', un cultivar allemand des années 1960.

Hydrangea macrophylla 'Renate Steiniger', a German cultivar from the 1960s.

Le merveilleux hortensia *lacecap*, *H.* x *serratophylla*
'Tokyo Delight', est planté lui aussi en masse.

This wonderful lacecap hydrangea, *H.* x *serratophylla*
'Tokyo Delight', is also planted in large groups.

DOUBLE-PAGE SUIVANTE
Couleur étonnante du plus foncé des hortensias « en boules », *H.* 'Mathilda Gütges'.

FOLLOWING DOUBLE-PAGE SPREAD
The stunning colour of the darkest of the
mophead hydrangeas, *H. macrophylla*
'Mathilda Gütges'.

Une série de vues rapprochées de trois hortensias classiques
à apparence plutôt sauvage : (DE GAUCHE À DROITE) *H.* 'Lilacina'
ou 'Mariesii Lilacina', *H. serrata* 'Blue Billow, *H.* 'Rosea'.

A set of close-ups of three classic hydrangeas that are rather
"wild" in appearance: (LEFT TO RIGHT) *H. macrophylla* 'Mariesii
Lilacina' (syn. 'Lilacina'); *H. serrata* 'Blue Billow'; *H.* 'Rosea'.

Une composition d'hydrangéas modernes :
(DE GAUCHE À DROITE) *H.* 'Mme Émile Mouillère', *H.* 'Fasan'
(un *Teller Hortensien*), *H.* 'Grayswood'.

A composition of modern hydrangeas: (LEFT TO RIGHT)
H. macrophylla 'Madame Émile Mouillère', *H. macrophylla*
'Fasan' (Teller Series), and *H. serrata* 'Grayswood'.

CI-CONTRE
En sous-bois, des hortensias
« en boules » mélangés à des *lacecaps* :
H. 'Mme Émile Mouillère' et *H.* 'Blue Wave'.

OPPOSITE
An understorey of mophead and lacecap
hydrangeas : *H. macrophylla* 'Madame
Émile Mouillère' and *H. macrophylla*
'Mariesii Perfecta' (syn. 'Blue Wave').

Ce coin du parc dénommé le « Vallon de la Source » comporte
beaucoup de plantes japonaises : *Aralia japonica, Cercidiphyllum
japonicum* et ici des *Acer palmatum* et des hydrangéas japonais
'Rosea' et 'Otaksa'.

This corner of the park, called the "Valley of the Spring", contains
many Japanese plants: *Aralia japonica, Cercidiphyllum japonicum*,
and here some *Acer palmatum* and two Japanese hydrangeas,
the *H. macrophylla* cultivars 'Rosea' and 'Otaksa'.

Déjà, à la Toussaint, les couleurs d'automne apparaissent :
(CI-DESSUS) *Acer palmatum* 'Beni-kagami', (À DROITE) *Acer palmatum.*

By Halloween the autumn colours are appearing:
(ABOVE) *Acer palmatum* 'Beni-kagami', (RIGHT) *Acer palmatum.*

27

Contre-jour d'automne : *Acer palmatum*
et feuillage doré des hêtres.

An autumnal *contre-jour* effect: *Acer palmatum*
and the gilded foliage of beeches.

DOUBLE-PAGE SUIVANTE

Coloration nuancée du fameux
Acer palmatum var. *dissectum* ′Seiryū′
à tronc gris.

FOLLOWING DOUBLE-PAGE SPREAD

The subtle colouring of the famous
Acer palmatum var. *dissectum* ′Seiryū′
with its grey trunk.

LES JARDINS
DU BOIS DES MOUTIERS

LOCALISATION / LOCATION

Situé en bordure de mer, sur les côtes de Haute-Normandie,
à 12 km de Dieppe, à 200 km de Calais, à 180 km de Paris,
à 4 heures de bateau de l'Angleterre (Dieppe-Newhaven).
À 10 minutes à pied de la mer, de l'église et du centre du village de Varengeville.

Situated beside the sea, on the Haute-Normandie coast,
12km (7½ miles) from Dieppe, 200km (125 miles) from Calais,
180km (112 miles) from Paris, 4 hours by ferry from England (Newhaven-Dieppe).
Ten minutes' walk from the sea, Varengeville church and village centre.

ADRESSE / ADDRESS

Route de l'Église
76119 Varengeville-sur-Mer

CONTACT

Tél. : 02.35.85.10.02 / +33 (0) 2.35.83.85.09
www.boisdesmoutiers.com
abm@boisdesmoutiers.com
bouchayer-mallet.antoine@wanadoo.fr

OUVERTURE / OPENING HOURS

Dates et horaires d'ouverture : tous les jours du 15 mars au 15 novembre,
de 10h à 12 h et de 14h à 18h

Dates and times of opening: every day from 15 March to 15 November,
from 10am to12 noon and from 2 to 6pm

Tarifs : à consulter sur le site

Prices: see website

Type de visite : visite libre avec un parcours fléché,
et visite guidée sur rendez-vous

Types of visit: independent tour following a marked route,
or guided tour by appointment

Durée de la visite : 1 heure à 3 heures en fonction des visites

Length of visit: 1 to 3 hours, depending on type

Ce monde est chacun de nous ; le sentir, être véritablement
imprégné de cette compréhension, à l'exclusion de toute autre,
entraîne un sentiment de grande responsabilité et une action qui
doit être non pas fragmentaire mais globale.

JIDDU KRISHNAMURTI, *L'EVEIL DE L'INTELLIGENCE* (1971)

The world is each one of us; to feel that, to be really
committed to it and to nothing else, brings about
a feeling of great responsibility and an action
that must not be fragmentary, but whole.

JIDDU KRISHNAMURTI, *THE AWAKENING OF INTELLIGENCE* (1971)

CRÉDITS PHOTOGRAPHIQUES

Toutes les photographies sont de Eric Sander.

All photographs by Eric Sander.

ISBN : 978-2-84138-470-9

2011 Les éditions Eugen Ulmer

8, rue Blanche 75009 Paris

Tél. : 01 48 05 03 03 — Fax : 01 48 05 02 04

www.editions-ulmer.fr

Conception graphique : Guillaume Duprat

English translation : Simon Garbutt

Impression : Printer Trento

Dépôt légal : avril 2011

Printed in Italy

N° d'édition : 470-02